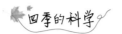

秋季的科学

[阿] 瓦莱里娅·埃德尔斯坦 / 文

[阿] 哈维尔·勒布尔森 / 绘

涂小玲 / 译

人民东方出版传媒
People's Oriental Publishing & Media

东方出版社
The Oriental Press

图字：01-2019-2806

Ciencia para pasar el otoño
Copyright © ediciones iamiqué S.A., 2019
Simplified Chinese Copyright © People's Oriental Publishing & Media Co. Ltd.
This Simplified Chinese edition is published by arrangement with ediciones iamiqué S.A.,
through The ChoiceMaker Korea Co.

图书在版编目（CIP）数据

秋季的科学 /（阿根廷）瓦莱里娅·埃德尔斯坦著；（阿根廷）哈维尔·勒布尔森绘；涂小玲译 .— 北京：东方出版社，2019.8
（四季的科学）
书名原文：Science for Autumn Months
ISBN 978-7-5207-1044-2

Ⅰ.①秋… Ⅱ.①瓦… ②哈… ③涂… Ⅲ.①季节—青少年读物 Ⅳ.① P193-49

中国版本图书馆 CIP 数据核字（2019）第 109263 号

秋季的科学

（QIUJI DE KEXUE）

[阿] 瓦莱里娅·埃德尔斯坦 / 文
[阿] 哈维尔·勒布尔森 / 绘　涂小玲 / 译

策　　划：鲁艳芳　张　琼
责任编辑：黎民子
装帧设计：飞鸟装帧设计
出　　版：东方出版社
发　　行：人民东方出版传媒有限公司
地　　址：北京市朝阳区西坝河北里 51 号
邮政编码：100028
印　　刷：北京彩和坊印刷有限公司
版　　次：2019 年 8 月第 1 版
印　　次：2019 年 8 月北京第 1 次印刷
开　　本：889 毫米 x 1092 毫米 1/20
印　　张：2.6
字　　数：85 千字
书　　号：ISBN 978-7-5207-1044-2
定　　价：35.00 元
发行电话：（010）85924663 85924644 85924641

欢迎你，
秋天！

　　炎热的夏季过去了，天气开始变得凉爽。各种树叶变了颜色，很快会飘摇落下。动物们开始储藏食物，为长途旅行或漫漫冬眠做准备。

　　这段时间，我们换上轻薄的外套，每天赶在天黑前回家，因为白天变短了，黑夜变长了。

　　现在，是时候问你一大堆关于秋天的问题啦！你准备好了吗？

一起来玩吧！

目录

秋天什么时候到来?

地球围绕太阳旋转的过程中,每年有两个时刻,北极和南极与太阳的距离一样远。在这两个叫作"分点"的时刻,阳光平均地照在地球的南、北半球上。这天在地球上所有的地方,白天和黑夜都差不多一样长。在地球上,也只有在这两天,太阳会从正东升起、正西落下。如果这两天你站在赤道上,你会发现太阳在天空中绘出一条半圆弧的轨迹,轨迹的顶点,也就是最高点恰恰就在你的头顶上!

在南半球,秋天开始于 3 月 20 或 21 日的秋分日;而北半球,秋天开始于 9 月 22 或 23 日的秋分日。

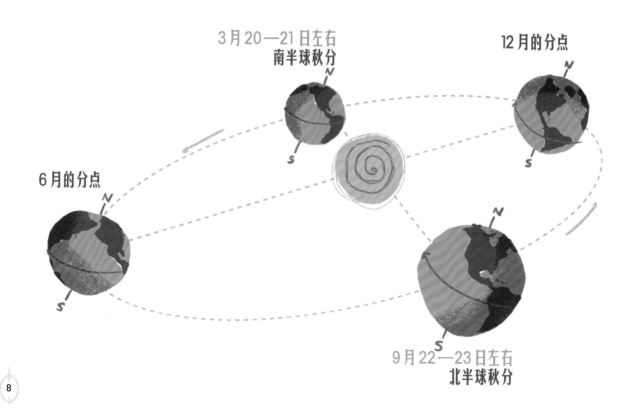

3 月 20—21 日左右
南半球秋分

12 月的分点

6 月的分点

9 月 22—23 日左右
北半球秋分

白天和黑夜

两极地区一年有六个月太阳都在地平线以上，也就是极昼；而另外六个月太阳在地平线以下，形成极夜。三月分点这一天，北极天亮了，与此同时南极进入黑夜。

 趣闻

16世纪前，很多讲英语的地区把秋季称为"harvest"，意思是"收获"。后来随着大多数人们脱离农村搬到城市生活，秋天这个词慢慢失去了收获季节的含义。还有些语言，例如德语和荷兰语，秋天一词至今仍保留这一含义。

秋天有什么特别之处？

秋分这一天的夜晚和白天一样长：都是 12 小时。从那天起，白天越来越短，夜晚越来越长，直到冬至到来的那一天，白天达到全年中最短。但除了白天变短外，秋天的太阳也不像夏天那么高了，也就是说阳光照射地球的角度变小了。

所有这些变化导致初秋时节尽管天气依旧炎热，但和夏季最后几周相比，太阳的升温作用减弱了，升温时间也变短了。随着夜晚变长，空气有更长的时间来降温，因此秋天的夜晚更加凉爽，而早晨却有点冷了。每天最高气温和最低气温差异很大，因此我们说秋天是一个**温差很大**的季节。

151

秋天的变化是由什么引起的?

是由于地球自转的旋转轴与地球围绕太阳的轨道相互倾斜造成的！如果没有这个倾斜角度，那么白天和黑夜总是一样长，也就形成不了四季了。

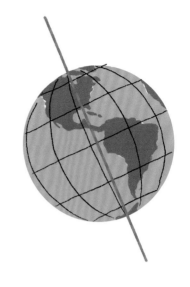

🔍 趣闻

意大利 16 世纪中期著名艺术家阿尔钦博托创作过一组名为《四季》的系列作品。四幅画分别用四个季节的应季水果和蔬菜构成一幅人形肖像。其中秋天的肖像表现的是一个男人的侧影：他的脖子由两个梨和一些蔬菜组成，脸部由梨和苹果组成，头发是一串葡萄，而帽子则是一个大南瓜。

秋天海洋里会发生什么事？

当阳光到达我们的地球，会加热遇到的一切东西：水、大地、木头、混凝土……然而，不是所有的东西都以同一种速度升温：水比土地需要更长的时间来提高温度（或降低温度），土地比木头需要的时间长，而木头又比混凝土需要的时间长。这种差异造成的后果就是，陆地最高温通常发生在夏初，那时候白天时间长同时气温高；但海洋里往往到了秋初才能达到最高温度。

海水是怎样升温的呢？阳光照射到海洋，开始加热这片巨大水域的表面。风浪将这些水与下面的水混合，形成一个高温表面层。在这个表面层下存在着看不见但却高如摩天楼的**海洋内波**，它们缓慢地运动，引起上层海水和下层寒冷海水的混合。这些充当巨型混合器的波浪就这样一步一步地加热着海水。当然了，海洋表面层总是比其余部分热，而深海则要冷得多。

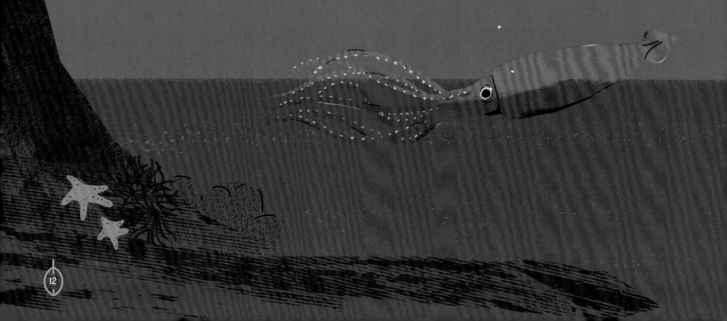

勺子搅拌器

　　海洋表面的平均温度约为 17℃，而海底通常只比 0℃ 略高一点。如果没有海洋内波，表面海水会更热，而海底的温度会更冷。

趣闻

　　北冰洋是世界上最冷，也是最小最深的海洋。水面温度常年保持在 −2 ℃。哆哆哆哆嗦嗦嗦嗦……

秋天为什么
是飓风的季节？

飓风是会带来狂风暴雨的巨大气旋，在南半球，气旋会顺时针旋转，在北半球则会逆时针旋转。飓风总是产生于热带洋面，条件是洋面温度上升到一定高度。

飓风究竟是怎么形成的呢？高温使部分表面海水蒸发，与上方的空气结合，形成的湿热空气迅速抬升，被周围较冷空气所替代。在这一替换过程中，冷空气加速呈螺旋式向中心移动，形成气旋。同时，位于气旋中心的空气上升，形成大片雨云。至此，形成一场可怕飓风的条件已经完备。

热带地区，夏末秋初，海洋表面很热，空气流动达到最强。因此，南半球飓风季高峰期出现在三月，而北半球出现在九月。

趣闻

风速至少要达到每小时 119 千米才能称之为飓风。抓紧了啊，你要飞起来了！

告诉我你的名字，让我猜猜你从哪里来？

飓风、旋风和台风是同一种气象现象，只是因为发生的区域不同而采用了不同的命名方式。在大西洋它被称为"飓风"，以纪念加勒比传说中的邪恶之神胡拉坎（Hurrican）[1]。在西太平洋，它被称为"台风"，在印度洋它被称为"旋风"。

译者注
[1] 邪恶之神胡拉坎的名字含有飓风的意思。

那片绿色怎么啦?

自然界中大部分色彩是由名叫**色素**的化合物产生的。最著名的植物色素叫叶绿素,是它赋予了植物的叶片和其他部分以鲜亮的绿色。

当秋季来临,天气逐渐变凉,日照时间缩短,可供养分也变少了。这些外部因素启动了植物的**衰老**过程,叶绿素生成减少,叶片中的叶绿素也开始分解。因此,随着秋天的深入,夏天的绿色逐渐消失。

什么是光合作用?

和动物不同,植物可以通过**光合作用**为自己制造食物。进行光合作用需要三个条件:供叶绿素吸收的太阳能、由根部吸收的水和从空气中吸收的二氧化碳。因为光合作用,植物能够生成自身生长所需要的糖,还能释放出氧气。

Q 趣闻

火烈鸟的粉红色来自它们食物当中的小型甲壳类动物、藻类和细菌。一旦终止这种食谱，它们就会变成白色。

秋天缤纷的色彩
从哪里来?

随着绿色消失，叶子中的其他色素开始呈现，但一开始它们不易被察觉，因为叶绿素依然丰富，从而掩盖了它们。慢慢地，褐色的**单宁**、橙红色的**类胡萝卜素**以及黄色的**叶黄素**变得可见。

和叶绿素一样，这些色素也存在于植物细胞内部，可以吸收光能，参与光合作用。它们也会分解，但比叶绿素的分解慢得多，这就是为什么绿色褪去时它们能成为主角的原因。树种不同，其中所含有的主要色素就不同，因此有的树叶看上去更接近橙色，而有的更黄，还有的则更接近褐色。秋天到了!

红色，我喜欢红色的你！

有些树种，比如红橡树、日本枫或北美红枫，在它们身上发生的变化可不止叶绿素"消失"这么简单。进入秋天，叶子中的糖和其他物质发生反应，形成一种叫作花青素的红色素。就这样，浓郁的绿色变成了鲜艳的红色。太精彩了！

🔍 趣闻

日本有一项古老的传统叫"红叶狩"，意思是秋天观赏红叶和落叶美景。气象部门每年会发布一份官方地图，预告全国各地枫叶变红的最佳观赏期。

为什么秋天树叶会干枯?

花草树木的叶子利用太阳能把二氧化碳和水转化成生长所需的糖。但到了秋天，随着白天一天天变短，日照减少，叶子的工作效率降低了。因为叶绿素的数量也减少了，所以生产出的养分也减少了。

另外，天气开始变冷，冰冻的土壤阻碍了根部吸收水分和养分，树木面临脱水的危险。再加上植物内部的变化，会触发一个叫作**脱落**的过程，它会切断树叶和树枝其他部分的联系。

就在树叶脱落之前，叶子中的养分被重新分配到树干中储藏起来。最终，这些养分输送管道会关闭，树叶得不到根部吸收的水和养料，开始干枯，只要轻轻的一阵风就能把它们吹落到地上。

这种巧妙的机制允许树木在冬天将养分储备保留在树干中，来年春天供给新叶萌发使用。这是多么伟大的生存策略啊！

只有秋天会落叶吗？

　　叶片在一年中某段时间将全部脱落的树木和灌木，我们称它们为**落叶植物**。虽然这种落叶通常发生在温带气候中的寒冷季节里，但也可能发生在炎热干旱气候中最炎热干燥的季节里。

🔍 趣 闻

　　加拿大国旗由红白两色组成，中间是一片有十一个尖角的枫叶。这些尖角的数量和布局没有特殊含义，之所以这样设计是因为当国旗随风飘扬的时候，图案能看起来最清晰。

所有的树木秋天都会落叶吗?

有些树永远不会"秃头",总是郁郁葱葱的。它们会一年四季逐步落叶和更新,我们称这类植物叫**常绿植物**。那些典型的热带植物,如椰子树和芒果树,生长在肥沃的土壤中,再加上雨水充沛,因此不需要触发叶片全部脱落的机制。

温带气候夏天炎热而冬天寒冷,生活在这种条件下的植物通常叶片较薄,形状为条形或针形,叶面上覆盖着蜡层,有利于隔离寒冷,并减少因蒸腾而流失水分。冷杉和角豆树等植物就是这样。

既不是常绿植物，
也不是落叶植物

还有一些树，如橡树，叶子会变色，但不会很快落下，而是停留在枝头，直到新芽开始生长才会脱落。这是一种保护机制，以保护幼芽安全过冬。

趣闻

松树和冷杉都是高大的乔木，其中道格拉斯冷杉是真正的树中巨人。官方有记录的最高的树是一棵被称为"矿树"的树。1930年它倒下的时候有1020岁，高119.8米。

为什么干枯的树叶踩上去会发出响声？

当你拨动吉他琴弦，琴弦的振动会搅动其周围的空气粒子。接着，这些粒子又搅动了围绕它们周围的空气粒子，这些粒子又搅动了新的粒子……就这样，琴弦敲击引起的振动通过空气传播到达你的耳朵，你就听见琴声了！

当你的脚踩上一片干枯的树叶，叶子屈服于你脚的压力，开始变形直到断裂。这时，它周围的空气突然被搅动，这种搅动继续传到你的耳朵，你就听到了脆裂的声响。

当你同时踩在很多枯树叶上，每片树叶都会发生和上面同样的情形，只是它们不会同时也不会遵循特定的顺序发生。如果你在厚得像毯子一样的落叶上行走，每一脚都会踩出不同节奏的声响，这些声响重叠在一起就是你所听到的美妙声音。

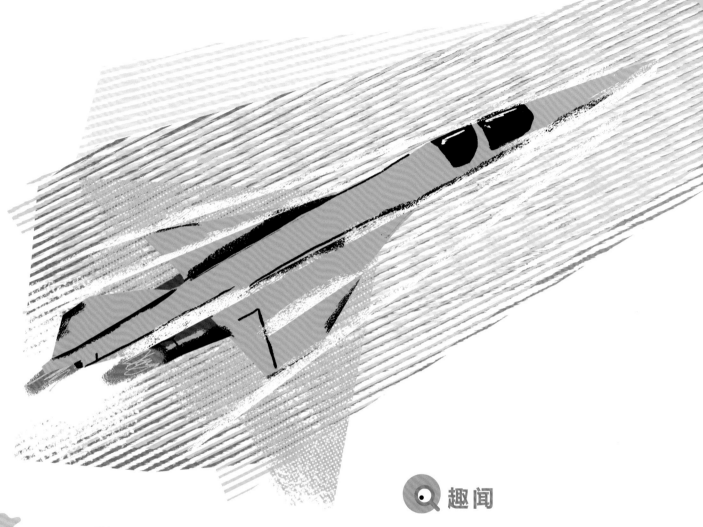

听得到吗？

声音无法在外太空中传播，因为那里没有空气（或任何其他介质）帮助振动传递到你的耳朵里。因此，你在电影里听到的宇宙飞船引擎的噪声、枪声和爆炸声……其实是永远不可能听到的！

🔍 趣闻

声音在空气中的传播速度是每秒 343 米左右。有些飞机的速度能超过音速，我们称它们为**超音速飞机**。

干枯树叶落下后会发生什么?

落到地面上的不仅有枯叶,还有小树枝和种子。它们可不是简单的垃圾。它们对生命起着非常重要的作用,尤其在森林中。森林低处存在一个非常有趣的生态系统:蝴蝶、蝾螈、蚂蚁、甲虫、松鼠、乌龟、蟾蜍、蚯蚓和其他很多生物隐藏在那里,以树叶为食,并在其间产卵。除了这些小动物,你还可以发现会分解植物残留物的真菌和细菌。这种有机物分解的过程有着非常重要的意义,因为它帮助腐殖质的形成,而腐殖质中含有植物能从根部吸收的营养物质。正是由于土壤中的这种天然肥料,树木才能不断生长。此外,落叶还可以遮挡土壤,以这种方式保护土壤免受突然的降温侵害。它还有利于保持湿度,因为它能够减少水分的蒸发。

现在你能想象这些落叶的作用有多大了吧?

你能用花园里的落叶做什么?

落叶可以成为你花园植物的极佳肥料。如果要准备堆肥，你需要收集叶子并装入一个容器中。用土、稻草或者干草覆盖，保护它们在分解期间不受阳光和雨水的影响。尽量保持湿润，并至少每隔十五天用铲子搅拌一下，使其充满氧。两到三个月后，你就可以给你的植物施上这种天然肥料，让它们健康茁壮地生长。

趣闻

据估算，深度为十厘米的一平方米肥沃土壤中，可以生活1万亿个分解者——真菌和细菌，100万条线虫，2.5万只螨虫，1万条蚯蚓，600只蜘蛛和200只甲虫!

为什么秋天要修剪树木？

很多人都知道要在秋天修剪树木，这样来年春天和夏天就能更好地开花和结果。但是，很少有人知道为什么要这么做……

树木总是会出现干枯、破败或者患病的树枝，它们"浪费"能量和资源。又或者树叶过于茂密，以至于阻挡了阳光到达那些最隐蔽的树叶。因此当秋天来临，一些树木，特别是落叶树木需要来一次清理修剪，以应对寒冷和日渐减少的日照，节约能量消耗来继续生存。剪掉那些受损的枝干可以让树枝分布更加合理，从而保证阳光能照射到所有叶片。

火灾，危险！

修剪树枝不只是为了让树木能更好地过冬。去除枯枝和收集掉在森林里的木柴，是一项必须定期进行的工作，否则发生火灾时火势会迅速蔓延。

🔍 趣闻

植物造型艺术包括给树木和灌木修剪整形，以此来美化公园或者花园。想去看看吗？你可能会喜欢这些：美国罗得岛绿色动物花园、秘鲁利马的"动物树"植物动物园、厄瓜多尔的图尔坎公墓和哥斯达黎加的萨尔塞罗植物造型公园等。现在，选择你的目的地吧！

有秋天种植的植物吗？

园艺家们都知道，秋天是翻整土地、修剪树枝和播种喜欢凉爽气候的植物的完美季节。有些植物不耐夏季炎热，比如菠菜。如果在非常炎热的季节生长，它会提前开花并且变苦。所以大部分品种的菠菜都在秋季种植。西兰花的情况类似，白天温度在 18℃ — 23℃ 之间时，它们能生长得更好。如果天气太热，绿油油的花菜头（就是我们吃的那些"小树"）会很快变黄。

还有一些植物特别耐寒，因为它们有储存器官来保证有足够的能量度过最寒冷的阶段。这些器官通常生长在防霜冻的地面以下。我们经常能在沙拉中看到它们：甜菜的根，土豆的块茎，洋葱和大蒜的球茎。

其他战胜寒冷的生存方式

植物面临的一大危险是当气温下降过多，叶子中的水会冻结。但很多植物已经学会了适应，随着秋天的到来，一些植物开始产生大量的糖来阻止细胞中的水结冰。

趣闻

亚洲很多国家都庆祝中秋节，表达对丰收的感恩之情。中秋节发生在秋分前后的某个满月日。大街小巷挂满了彩色灯笼，有一个传统习俗是和家人一起赏月。有些地区中秋节吃月饼，还有一些地区吃煎鸡蛋（它们看起来形如满月）。

为什么有些动物
到了秋天很忙碌?

和植物一样,许多动物必须使用某些策略来应对冬天的低温。最起码,它们得避免两件事情的发生:冻死和饿死。

当秋天到来时,土拨鼠会用草和树叶覆盖洞穴,为接下来六个月的昏睡做好准备(西班牙语里有"睡得像只土拨鼠"的说法,就是指睡得死死的)。刺猬则会寻找石头或树根下的隐蔽洞穴藏起来,缩成一个球,直到来年春天再醒来。蝙蝠会离开它们的"避暑山庄",搬到洞穴或某个树洞里开始不停地吃东西,直到身体里充满脂肪。在寒冷的月份里,脂肪将是一份宝贵的能量储备。当冬天到来时,一些既有了安身之所又吃饱了的动物们开始进入冬眠。

趣闻

　　每年二月二日，美国和加拿大庆祝土拨鼠节。这个奇特的习俗其实一点都不科学！这一天，人们会把城市或者农村的"萌宠"土拨鼠从洞里掏出来。他们认为如果土拨鼠马上返回洞穴，说明冬天还将继续六个星期以上；如果没有回去，说明冬天马上就要结束了。

什么是冬眠？

　　冬眠是一种深度睡眠状态，身体的活动会降至最低程度：体温下降，心率降低，呼吸减慢……在这种状态下，动物基本上不会消耗能量。如果它体内的储备充足，即使很长一段时间内不进食，也能存活。

秋天蜥蜴会做什么呢?

科学地说，两栖动物和爬行动物，如蜥蜴、青蛙、蟾蜍、蛇、乌龟和蝾螈，并不"冬眠"，尽管它们所做的事情其实和冬眠差不多。深秋，天气更加寒冷，每天日照时间只剩短短几个小时。这些动物需要寻找地方躲避寒冷：有的藏在落叶下，有的藏在泥土里，还有的会利用松鼠、獾或者狐狸抛弃的洞，或者天然形成的裂缝或洞穴来藏身。

一旦进入藏身之所，它们就会进入深度睡眠状态，身体活动变得非常少。两栖动物和爬行动物的这种行为，科学家称之为**冬化**。在这种状态下，动物时不时会醒来喝水，有时也会吃东西。在太阳很好的日子里，有的甚至还会爬出洞口，找块岩石晒晒太阳。

如果天气热了又该怎么办?

当天气又热又干的时候，有些两栖动物和爬行动物会进入夏眠。夏眠是一种和冬化非常相似的生存策略。通常，这些动物会躲进湿润的泥地里，保护自己免受脱水和高温的侵害。

🔍 趣闻

两栖动物和爬行动物都是冷血动物，意思是它们不能自己调节体温，它们的体温是随环境温度变化而变化。因此天气冷的时候，冷血动物需要晒很久的太阳。

昆虫怎样才能安然度过寒冷的天气？

大多数飞蛾、蚱蜢、蚊子、蟋蟀以及其他昆虫，都不能承受低温，一旦天气开始变冷就会死亡。然而，有些昆虫如面粉虫和桦树椿象，自己会制造防冻剂来过冬！

这些防冻剂是怎样的呢？到了秋天，它们的**血淋巴**（相当于昆虫的血液）里会积聚一种蛋白质，防止低温下体内的水结冰破坏身体组织。这些抗冻蛋白质会"黏附"在很小的冰晶上，阻止冰晶长大。

还有一些昆虫，如宝石甲虫和大豆蚜虫，自己会产生大量的糖或甘油，形成非常黏稠的混合物，用这种方式减缓血淋巴中形成冰。这样，这些小虫子就能在很低很低的环境温度下生存了。

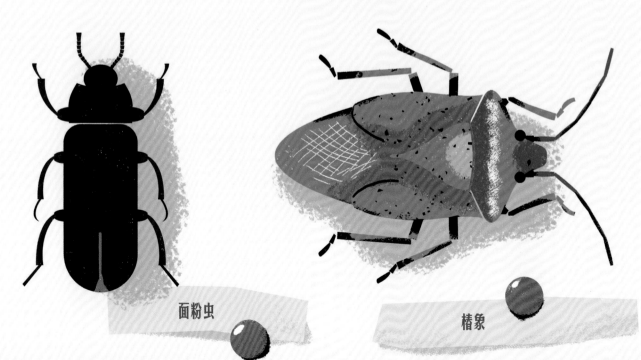

面粉虫

椿象

唯一的幸存者

秋天是德国黄胡蜂可以逍遥的最后时光。第一次霜冻到来时它们都将死亡，剩下的只有受精的蜂后。整个冬天蜂后都将躲在一个温暖的地方独自冬眠。春天，它将从昏睡中醒来，建造新巢并且产卵，自此开始一个新的周期。

 德国黄胡蜂

🔍 趣闻

阿拉斯加甲虫会产生一种非常特殊的防冻剂，即使它的血淋巴过度冷却至 −38 ℃，它照样可以存活！

 阿拉斯加甲虫

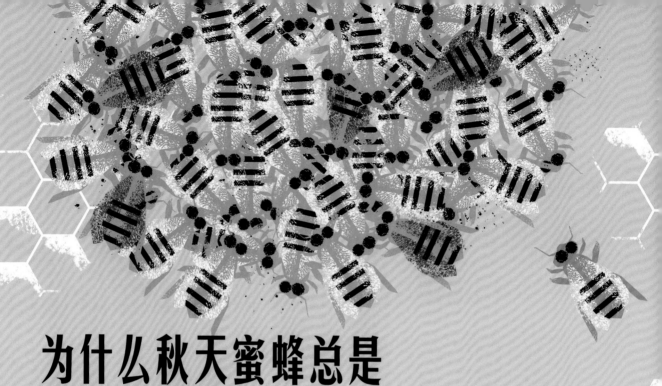

为什么秋天蜜蜂总是忙忙碌碌的？

许多像蜜蜂那样的社会性昆虫在最冷的季节也会躲藏起来，几乎不外出。为了生存，它们必须储存足够的食物。因此在整个秋天里，工蜂会不知疲倦地收集食物用于维持家园。

另外，这些长翅膀的小动物拥有一种保持温度的奇特策略：当天气变冷，它们会挤在蜂巢的中间抱成一个球。球里面的蜜蜂振动翅膀，通过收缩和放松肌肉产生热量；球外部的蜜蜂则保持不动，形成一道防寒屏障。

为了使每只蜜蜂不致冻死，它们不停地变换位置：球里面的蜜蜂向外移动，而球表面的蜜蜂向球心钻。唯一保持不动的是蜂后：它总是待在球正中心的位置，受到整个蜂巢的照顾和保护。这是多么伟大的团队合作啊！

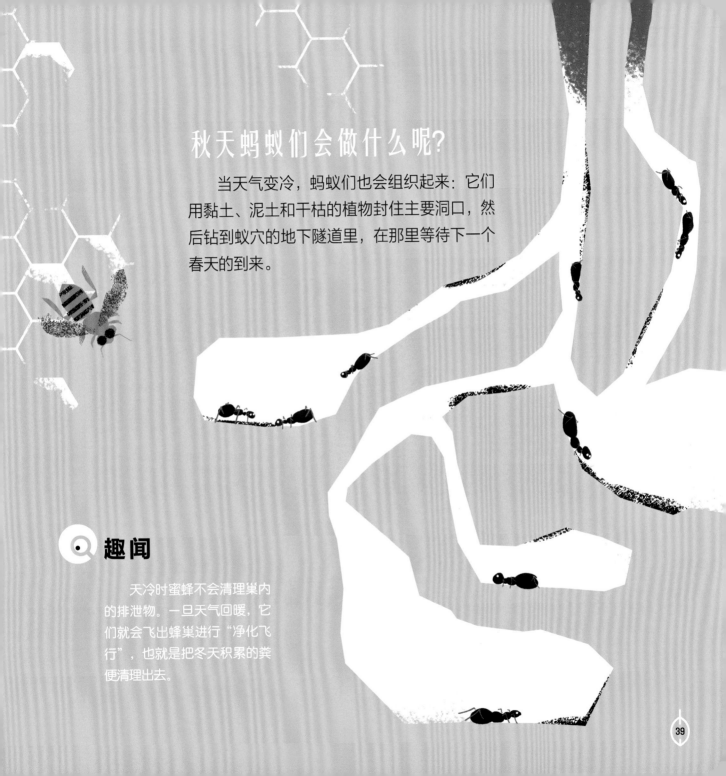

秋天蚂蚁们会做什么呢？

当天气变冷，蚂蚁们也会组织起来：它们用黏土、泥土和干枯的植物封住主要洞口，然后钻到蚁穴的地下隧道里，在那里等待下一个春天的到来。

趣闻

天冷时蜜蜂不会清理巢内的排泄物。一旦天气回暖，它们就会飞出蜂巢进行"净化飞行"，也就是把冬天积累的粪便清理出去。

秋天鸟类去哪儿了？

秋天到了，很多鸟类准备好"行李"，出发去温暖的地方寻找食物。有些鸟，如燕子，可以飞行上千千米。

大多数鸟类在南北方之间旅行，比如草原霸鹟和鹤，还有少数鸟类如剪尾灰霸鹟和黑蜂鸟，在东西方之间旅行。某些鸟类在夜间飞行，像知更鸟或田鹬，而其他鸟类只在白天飞行。

鸟类的飞行技术五花八门！鹰会尽可能少地扇动翅膀，这样能节省力气。因此为了迁徙，在清晨的头几个小时，它们会寻找上升的热气流，也叫"热力"，借此获得滑翔高度。一旦到达合适的高度，它们就能在长长的"热力高速路"上水平滑翔。当失去高度时，它们会再次寻找新的热气流提升高度。

很多鸟类能够旅行几天甚至几个星期，途中会休息进食。而有些鸟类则几乎从不停歇，或者只作些许停留，直到抵达目的地。因此，在开始**迁徙**之前，它们需要充足的休息和进食，食量能达到它们体重的三倍。

蝴蝶拉力赛

秋天，在加拿大和美国会诞生一代特殊的王蝶，它们寿命长达七至八个月，而其他代的王蝶只能存活几周。这一代被誉为玛士撒拉[1]的王蝶，必须飞行超过 3000 千米来到墨西哥，在那里生活到来年春天，然后再次出发，开始返家的旅程。

 趣闻

弱夜鹰是已知唯一冬眠的鸟，它是一种生活在北美的小型鸟类。

译者注
①玛士撒拉是《圣经·创世记》中的人物，据传享年 965 岁，是非常高寿的人。

为什么到了秋天鹿变得很吵闹？

当秋天到来时，雄鹿会发出低沉的叫声，我们称为吼叫，这些叫声在几千米外都可以听到。每头雄鹿用自己独特的方式吼叫。另外，它们走起路来昂首挺胸，姿势具有挑战性，它们用这种方式吸引雌鹿的注意力，从而赢得交配。如果求偶途中遇到另一头雄鹿，双方为了争夺雌鹿会展开竞争，甚至大打出手，用角攻击对方。

这类动物选择秋天交配，道理很简单。妊娠或孵化期短的动物会赶在春天和夏天天气依旧温暖的时候产下幼崽，而很多大型动物如鹿和野猪，通常有更长的妊娠期，于是它们选择秋天进行交配，这样几个月后幼崽出生时，寒冷的冬天已经过去了。

暂停！

　　很多种蝙蝠也在深秋时节，赶在冬眠之前寻找配偶。一旦交配成功，一个令人难以置信的现象会在某些种类身上发生：雌蝙蝠会暂停妊娠，直到环境条件变得有利于小蝙蝠出生才会继续。这样蝙蝠幼崽就能在入春或入夏的时候出生。这种"延迟"妊娠不是蝙蝠所特有的：水獭和狍子等动物也有这样的本事。

趣闻

　　在阿根廷的潘帕斯草原上，观看马鹿的吼叫已经成为一个旅游项目：每年三四月份，当地会组织专门的马鹿游览项目。最佳观察时间（听马鹿的声音）是在清晨和傍晚。

秋天动物如何换毛?

秋天，很多动物为迎接冬天的到来，穿上"厚厚的冬装"：更多的羽毛，更厚的皮毛，不仅多还很长，有的甚至还穿上特殊的"鞋子"。

比如，生活在寒冷地区的黄鼠狼，它们短而粗的棕色夏毛被浓密的白色冬毛所取代。这一过程叫作**季节性换毛**。北极兔和极地狐的情况类似：深秋时节换上的丰满的白色皮毛是它们冰天雪地里最好的伪装，也能帮助它们抵抗寒冷。就连极地狐的爪子周围也会长出厚厚的毛来。

生活在寒冷地区的很多鸟类也会换羽毛。随着秋天一天天过去，雷鸟的灰色或棕色羽毛逐渐被长长的白色羽毛所代替，它的爪子甚至趾头上也会覆盖白毛，只露出坚固的趾甲以便挖掘冰冻的土地。锁在羽毛层之间的空气有隔绝寒冷的作用，在最冷的季节里能帮助它保持温度。这真是一件完美的大衣啊！

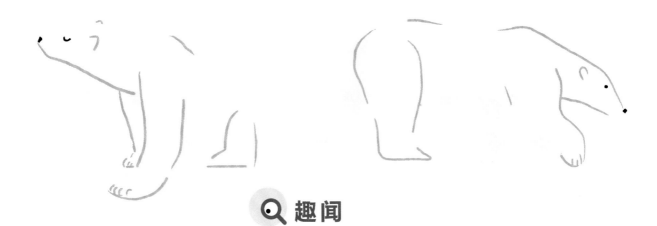

🔍 趣闻

北极熊的皮毛实际上不是白色的，而是完全透明的！它是一根根空心管，里面聚积着很小很小的气泡，折射光线后产生白色皮毛的视觉效果。这些微型泡泡还有隔离寒冷的作用。

所有的换毛都是因为季节变化引起的吗？

昆虫和蜘蛛等小动物的体表，被一层较为坚硬的外骨骼所覆盖。因此，随着它们长大，需要蜕皮，长出一副更合身的新骨骼。这种"跳跃式"的变化是由于不同的激素调节而发生的，不是因为季节变化。

松鼠是怎样找到自己埋藏的橡子的？

秋 天，橡子熟了，这是松鼠最喜爱的食物之一。这种可爱的小动物不知疲倦地穿梭于森林中收集橡子并储藏起来，留作冬天的食物。据说一只松鼠一年能储藏多达一万颗橡子。千真万确：它们不会把所有的橡子藏在同一个地方，而是有多个储藏点。这种做法的好处是，即使发生意外情况，比如某个动物发现并且偷了橡子，也能够保证总是有存货。

但是这么多的储藏点需要很好的记忆力来记住它们。实际上，松鼠确实能够准确地记起橡子的埋藏地点。一方面，它们具有强大的嗅觉，另一方面，它们有一个精心设计的存储系统：它们会对橡子进行分类，然后将每种橡子藏在不同的地方。就这样，它们绘制出一幅藏宝"心理地图"，每次找到新的橡子，就会带到相应的地点。当需要挖出橡子的时候，松鼠就能确切地知道到哪里去寻找它们了。

应该给小松鼠颁一个奥斯卡奖!

　　有时候，一只松鼠正在掩埋橡子，当发现另一只松鼠正在观察它时，它会装作若无其事继续工作，把坑盖上，但其实却把橡子带走了。这种行为叫"战术欺骗"，其目的很简单：欺骗旁边的观众，并分散它的注意力，以便能够把宝贝隐藏到别处。松鼠都是影帝!

趣闻

　　许多年前，一队研究人员在西伯利亚大约 40 米深的地下发现了一小撮那里原产植物的种子。人们认为它们是冰河世纪的一只松鼠埋在那里的。这些被冰冻种子，据研究人员推算，大约有 32000 年的历史。可是它们后来竟然发芽了!

为什么有人秋天爱打喷嚏?

秋 天到了,天气渐冷,人们关上窗户,打开暖气,封闭空间里的空气回暖并充满水气,这就为生活在床垫、地毯和坐垫里的一种体形微小的蛛形纲动物——**螨虫**,提供了理想的生存环境。

螨虫产生的某些物质通常不会对我们的健康构成威胁,但有些机体会对其产生反应,就像生病了一样。有些人的免疫系统会以为发现了入侵者,为保护身体不受病原体侵害,系统被激发从而产生反应,因此出现了打喷嚏、充血、鼻痒、咳嗽以及其他的过敏症状。

阿阿阿阿阿嚏!

秋天不仅过敏增多了，经过空气传播的疾病也增多了，比如感冒。当大家为了取暖，都聚集在门窗紧闭的空间里时，就为病毒传播创造了理想的环境，从一个人传染给另一个人。

 趣闻

螨虫是嗜皮肤细胞生物，这个词意思是说它们以脱落的皮屑为食。一个人每天大约脱落一克左右皮屑。这些皮屑对于螨虫来说是一场盛宴!

天气冷了!

随着最后的树叶飘落，秋天远去，一年中最寒冷的季节到来了。到了找出你的围巾、厚袜子和手套，玩哈气和提出新问题的时候了。其他的季节在等待你继续探索科学的奇迹。回头见!

谁写了这本书?

瓦莱里娅 1982年秋，出生于阿根廷的布宜诺斯艾利斯市。从小（实际上已经有点大了），她最喜欢秋天的时候，在厚如床垫的干树叶小径上尽情跳跃。她最讨厌的是清晨上学裹得厚厚的，而到了下午就得手里拿着大衣。

她是布宜诺斯艾利斯大学的化学博士和阿根廷国家科技研究理事会的研究员，她还是大学老师和很多科学杂志、科普读物的作者。

她是阿根廷日常电视节目"科学联盟"（阿根廷公共电视台）的参与者，并且在播客上主持"我们讲历史"节目，介绍科学和科学家的故事。她还是多个数字媒体，各种广播和电视节目的专栏作家。

她和她的孩子汤米和苏菲住在布宜诺斯艾利斯。她热爱秋天，因为这是她出生的季节，还因为天气不那么热了，她可以尽情享用巧克力而不会弄脏手指了。

谁画的插图?

哈维尔 1984 年出生于布宜诺斯艾利斯一个寒冷的冬日。他是一名插画师、平面设计师以及布宜诺斯艾利斯大学的设计学教授。童年时期他就很喜欢厚厚的落叶堆起的"床垫"。这样,他就可以更轻松地爬到树上,然后从树枝上跃到地面而不会受伤。落地时树叶发出的声响是多么迷人啊!

现在,尽管他已经是成年人了,当遇到树叶堆的时候,还是会忍不住跳起来使劲踩下去。然后,漫不经心地继续走路,好像什么都没发生过一样……

谁译的这本书?

涂小玲 毕业于南京大学西班牙语专业,同年进入中国国际广播电台西班牙语部工作,任中央广播电视总台中国国际广播电台西班牙语副译审,近二十年一直工作在翻译、编辑、记者、播音业务工作一线,策划和主持的节目多次获得中国国际广播新闻奖。

她是一个小男孩的妈妈,平时喜欢陪孩子一起读书,去各地旅行,观察自然,希望给小朋友们翻译更多精彩有趣的童书。